MW00780496

Lo que nos susurra el viento

La sabiduría de los aztecas

XOKONOSCHTLETL

Lo que nos susurra el viento

La sabiduría de los aztecas

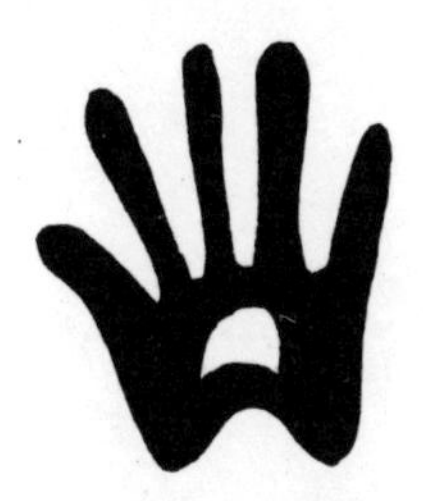

Traducción de
Carlos Fortea

PLAZA & JANÉS EDITORES, S.A.

Título original: *Was Der Wind Uns Singt*
Maquetación y grabados en interior: Martina Eisele
Diseño de la portada: Martina Eisele
Fotografía de la portada: Mathias Ziegler

Primera edición: marzo, 1998

Printed in Spain – Impreso en España

ISBN: 84-01-01144-2
Depósito legal: B. 10.148 - 1998

Fotocomposición: Comptex & Ass., S. L.

Impreso en Hurope, S. L.
Lima, 3 bis. Barcelona

L 0 1 1 4 4 2

Las raíces de un nombre

Un prefacio, por Heiner Uber

Xokonoschtletl es un indio de la estirpe de los aztecas, de México. Traducido literalmente, Xokonoschtletl significa «Fruto ácido y generoso del nopal, también conocido por chumbera». Pero los nombres indios tienen, junto al literal, un sentido aún más importante, por simbólico. Así, en traducción libre Xokonoschtletl significa: «Aquel que tiene raíces muy profundas y se alimenta de ellas», o también: «Las raíces del nopal, que penetran profundamente en el suelo.»

«Mis raíces son la cultura, el conocimiento y la tradición de mi pueblo, los aztecas», me contó él en una ocasión. Lo conocí hace diez años largos. Xokonoschtletl estaba en camino de México a Viena. Allí lo encontré, porque había sabido de sus pretensiones y quería escribir un reportaje al respecto para *Die Zeit*. La causa de este desacostumbrado viaje de un azteca se remontaba a casi quinientos años atrás: «Cortés —decía entonces *Die Zeit*— recorrió con su soldadesca el antiguo Imperio azteca matando y saqueando. Una de las piezas de su botín es una corona de plumas, entretanto única en el mundo, que llegó hasta Viena por caminos extraviados. Allí ha pasado décadas tras un cristal blindado, como una especie de Mona Lisa de la colección precolombina del Museo Etnológico local.» Para los indios, ese penacho de plumas perteneció al emperador azteca Moctezuma y, sobre todo, pertenece al lugar del que procede: a México.

Xokonoschtletl —encomendado para ello por el consejo de su tribu— ha hecho suya la tarea de rescatar la corona de plumas. Desde hace ya once años persigue ese objetivo: vuelve a Europa una y otra vez, recoge firmas por toda Austria, hace huelgas de hambre de varios días en las escaleras del museo y lucha con paciencia india contra la arrogancia de los funcionarios y políticos austriacos. Como periodista, he estado con él en esas campañas y he informado de ellas. De este modo nos hemos conocido mejor... nosotros los blancos diríamos que hemos llegado a ser buenos amigos. Pero ése es un concepto totalmente ajeno a un lakota, un shoshone o un hopi, porque todos somos hijos de nuestra Madre Tierra, y por tanto hermanos y hermanas.

Desde aquel momento, he visto con frecuencia a Xokonoschtletl: aquí en Europa y también en Anahuac, como él llama a su patria mexicana. Una razón para ello fue el trabajo común en un libro: *Medicina de la Madre Tierra*. Apareció en la misma editorial que éste, y trata de las viejas doctrinas curativas de los indios.

A veces he visto a Xokonoschtletl sentarse a mi lado una o dos horas sin pronunciar palabra. Como máximo, en un momento dado decía: «Hoy hemos disfrutado de un hermoso día.» Yo asentía con la cabeza, y los dos continuábamos mirando por encima de las montañas, hacia las nubes. En otras ocasiones estaba muy locuaz: «Las montañas son nuestras hermanas, y las nubes nuestras hermanas.» Y entonces contaba durante horas viejas leyendas indias y proverbios llenos de sabiduría, aprendidos de los ancianos de su tribu. Me cantaba canciones, me traducía los versos del náhuatl y me explicaba su significado. Hablábamos del águila y de la serpiente de cascabel, de sus bailes y de sus ceremonias.

Sólo quien se tome tiempo alcanzará la sabiduría.

De muchas de estas cosas tomé notas, o las recogí en cinta, y luego las escribí. Hace algún tiempo, repasé esas notas junto con Xokonoschtletl. Lo que le pareció importante, lo hemos reunido para este libro.

Todos tenemos los mismos padres: Madre Tierra y Padre Sol. Así que las nubes y los pájaros que hay en ellos, el agua de los ríos y los peces que hay en ellos, las montañas y las rocas que hay en ellos, son nuestros hermanos. Puede que los blancos os riáis cuando nosotros, los hombres de la Tierra, hablemos con nuestros hermanos. Y puede que también os riáis de esto: nuestras hermanas piedras y serpientes, nuestro hermano viento y nuestra hermana nube hablan con nosotros. Así que no debe haber enemigos, porque, ¿cómo pueden los hermanos ser enemigos? Por eso no hay palabra para eso en nuestro idioma. Cuando vuestros antepasados llegaron a nuestro país, cuando mataron a nuestros hombres y violaron a nuestras mujeres, incendiaron nuestros pueblos y arrasaron nuestros campos, no los llamamos «enemigos». Los llamamos Amo iknikli, que significa «los hermanos que no quieren ser nuestros hermanos».

¿Sabéis, hermanos blancos, por qué nos llaman pieles rojas? No, en absoluto por el color de nuestra piel. Cuando vuestros antepasados llegaron a este país desde el otro lado de gran mar, sorprendieron a algunos de nuestros hermanos en una ceremonia muy importante, para la que pintaban sus cuerpos de color rojo. Así nos protegíamos de los malos espíritus, o, como decís vosotros los blancos, de las energías negativas. El rojo siempre ha sido el color más importante para nosotros... simboliza la fuerza, la vida, la medicina, el fuego de nuestros hermanos y el sol de nuestros padres. Utilizamos con mucha frecuencia los colores rojos, muchos de nuestros objetos ceremoniales son rojos. Como las cazuelas de nuestras pipas, talladas en piedra roja. O los paños en que envolvemos nuestras pipas. Cuando nos reunimos para discutir cosas importantes, llevamos una cinta roja en la frente. Nuestros sabios dicen que eso protege a nuestros pensamientos de la energía «no buena», y pensamos mejor.

Reverenciado coyote que tiene hambre

*La historia de Nezahualcóyotl,
que escribía poemas, y del que sabemos
que era un hombre sabio*

Venid con nosotros junto al fuego y escuchad la historia de Nezahualcóyotl: En tiempos de los antepasados, vivía en nuestro país un hombre sabio. Se llamaba Nezahualcóyotl. En vuestra lengua, su nombre significa «Reverenciado coyote que tiene hambre». Los antepasados lo llamaron así porque su espíritu siempre tenía hambre. Hambre de conocimiento y sobre todo hambre de sabiduría. También nuestro reverenciado señor y príncipe Moctezuma apreciaba mucho a este Nezahualcóyotl, por lo que le nombró su consejero.

Pero Nezahualcóyotl también era un gran constructor y arquitecto. Así que tuvo la idea de construir un muro que atravesaba un lago, grande pero poco profundo. En ese lago, actualmente enterrado y desecado, se encontraba, encima de una isla, Tenochtitlan, nuestra antigua capital y el centro del imperio azteca. Hoy se encuentra en ese lugar una capital aún mayor: Ciudad de México.

Mucho antes de esta época afluían al lago ríos de las montañas de alrededor. Algunos de ellos, sobre

todo los del norte, lamían en su camino arena salada de la Madre Tierra, por lo que sus aguas sabían amargas. En cambio, el agua de los ríos del sur sabía dulce y fresca.

Pero con el agua pasa lo mismo que con los hombres. Cuando un hombre bueno y uno malo pasan mucho tiempo juntos, el malo toma ejemplo del bueno. Pero también el hombre bueno corre peligro de aprender malas cualidades del malo. Y así ocurrió también con el agua del sur y el agua de los ríos salados del norte... se mezcló, y dejó de saber dulce y fresca. Igual que ocurre con los hombres, que quieren estar los buenos con los buenos y los malos con los malos, así debe ser también con el agua. Por eso Nezahualcóyotl ayudó al agua construyendo un muro que atravesaba el lago, para que en adelante no pudiera mezclarse.

En nuestro pueblo aún se habla con gran respeto del «reverenciado coyote que tiene hambre», porque Nezahualcoyotl también fue un gran poeta. En nuestro pueblo las historias no se escriben en libros como entre vosotros, hermanos blancos, sino que los viejos las cuentan a los jóvenes. Algunas de ellas son obra de Nezahualcoyotl. Voy a contaros aquí las que me gustaron especialmente.

Yo, Nezahualcoyotl, pregunto:
¿En verdad se vive con raíces en la tierra?
¿No para siempre, sólo un poquito aquí?
Aunque el jade y el oro se quiebren,
aunque se rasguen las plumas del quetzal...
¿no para siempre, sólo un poquito aquí?
Todos tenemos que volver
al seno de la Madre Tierra;
como un dibujo en la arena
nos borraremos,
igual que una flor nos secaremos.

* *Nezahualcóyotl*

Nuestra Madre Tierra no ha dado a luz hermanos angulosos ni hermanas angulosas: Los árboles y sus hojas, las olas y los remolinos del agua, las piedras, las nubes... todo es redondo. Así, el círculo es un símbolo importante del principio de toda vida. También un niño es un círculo, no importa que sea hijo del hermano y la hermana águila, del hermano y la hermana osa o de dos humanos. Porque está hecho del semicírculo del padre y del semicírculo de la madre. Cuando el niño se hace adulto y encuentra un hombre o una mujer, él mismo vuelve a ser un semicírculo que forma un nuevo círculo. En nuestra lengua nunca llamaríamos «amigo» o «amiga», «mi mujer» o «mi hombre» a la persona con la que estamos. En nuestra lengua la llamamos Ometéotl, que quiere decir «el semicírculo que está conmigo» o «la dualidad que está conmigo».

Sed amigos de vuestros hijos, y no olvidéis nunca que vosotros también fuisteis niños. Enseñadles el bien, porque el futuro está en sus manos. Vosotros los blancos siempre habláis de que hay que formar a los niños. Pero la misma palabra «formación» ya no me gusta. Veo ante mí un niño al que se «forma». Y dar forma a algo no es otra cosa que presionarlo. En cambio, entre nosotros los hombres de la Tierra se dice: «Tenemos que ayudar a los niños en su desarrollo.»

Amo el canto del pájaro
de cuatrocientas voces,
el color del jade
y el aroma de las flores.
Pero aún le amo mucho más a él:
mi hermano hombre.

**Nezahualcóyotl*

«¿Por qué —nos preguntan una y otra vez a mis hermanos y a mí— los indios no habéis inventado la rueda?» Una astuta pregunta, porque se podría pensar que para personas que podían calcular con tanta exactitud el curso de los astros, como los astrónomos de los mayas y aztecas, tendría que ser fácil construir un vehículo con ruedas. ¿Éramos pues los indios demasiado tontos como para inventar la rueda? ¡En absoluto! Quien mire nuestros viejos edificios se encontrará con ruedas una y otra vez. La mayor y más importante es el calendario de mis antepasados, tallado en piedra. En nuestra cultura la rueda simboliza el Cosmos, el circuito eterno del Padre Sol y la Abuela Luna y la eternidad misma. Y yo pregunto: ¿cómo es posible atreverse a abusar del símbolo del Padre Sol y la Abuela Luna cargando sobre una rueda el peso de un carro? Y otra cosa: vosotros los blancos siempre decís que la invención de la rueda fue un gran progreso. Eso puede ser cierto para vosotros. Pero yo me imagino que, sencillamente, os hubierais olvidado de hacerlo. No habría carros ni coches, trenes ni tanques. Y como entonces no os hubiera resultado tan fácil lanzaros al mundo, quizá os habríais quedado allá de donde sois. Y una cosa es segura: a los hermanos negros en su país y a mis hermanos se les habría ahorrado mucho sufrimiento. Eso es seguro.

El Descubrimiento de América, ¡dejad que me ría! ¿O es que los blancos no os echaríais a reír si un indio llegara a Estocolmo por primera vez y afirmara haber descubierto Escandinavia? ¿O si otro que quizá visitara Berlín contara que había descubierto Alemania? No sé de dónde sacáis la certeza de haber descubierto algo que nosotros sabíamos desde hace milenios: Que existe Anáhuac, el gran país «rodeado de mucha agua», y que los hermanos ojibwa llaman *mishee mackinakong*, «el lugar donde la tortuga asoma la espalda por encima del agua». Ese gran territorio que vosotros llamáis América. Donde hay hombres de la Tierra, a los que vosotros llamáis indios. Cristóbal Colón se equivocó: creyó que había llegado a las Indias, y por eso nos llamó indios. Hace casi quinientos años que conocéis ese error, y seguís llamándonos así. ¿Por qué no estáis dispuestos a cambiar lo que habéis aprendido? ¿Cómo reaccionaría un inglés si le llamaran chino, o un alemán al que se refirieran llamándole turco? Así que llamadnos «hombres de la Tierra», o hermanos lakota, pawnee, hopi, shoshone, mapuches o aztecas.

Vosotros, hermanos blancos, decís que sois la corona de la Creación. ¿Es que habéis olvidado que sin la Madre Tierra tampoco vosotros existiríais?

MADRE TIERRA, PADRE SOL, AQUÍ ESTAMOS

El «reverenciado anciano del agua» habla,
y nosotros bailamos en honor del hermano viento
y de las nubes

Antes de hablar de bailes, deberíais saber que cuando vosotros, hermanos blancos, váis a bailar, tenéis razones distintas que nosotros, los hombres de la Tierra. Vosotros queréis conocer a un hombre, o a una mujer, y queréis divertiros durante una velada. Y lo más importante: vuestros bailes no tienen ningún sentido simbólico, ni mágico, ni religioso.

Así que, cuando nosotros hablemos de nuestros bailes, olvidad todo lo que llamáis bailar. Nuestros bailes tienen un fuerte sentido simbólico y una fuerte energía mágica. Por eso hablamos de cada baile con la Madre Tierra, y le pedimos autorización para bailarlo:

Querida Madre Tierra, aquí estamos,
cazadores, campesinos, estudiantes, maestros y jefes,
niños, mujeres, hombres y ancianos,
para honrarte.
En nombre de nuestros antepasados
pedimos permiso
y te informamos

de que ahora queremos bailar.
Con nuestros bailes nos acordamos de ti,
sabemos que somos tus hijos,
y que no nos olvidas.
Lo vemos, lo sentimos.
Con nuestros pasos te mostramos
nuestra gratitud.
Y con nuestro cansancio,
nuestra hambre y sed,
te devolvemos algo
de lo que nos das cada día.

Sólo tras haber pronunciado esta oración empezamos con nuestros bailes. Para sentir mejor a nuestra Madre Tierra, no llevamos calzado. En las grandes ceremonias, los bailes pueden durar cuatro días, desde la salida hasta la puesta del sol. Durante ese tiempo, los danzantes no pueden comer ni beber. Por eso tenemos hambre y sed, y por eso terminamos débiles y cansados.

Hay muchos bailes, que se bailan de distinta manera según la ocasión, pero siempre nos movemos en círculo. Porque el círculo simboliza el Cosmos y el camino de la vida desde la Madre Tierra hasta volver a la Madre Tierra. Muchos de nuestros bailes son muy complicados, y hace falta una larga experiencia hasta que los danzantes dominan con precisión todos los pasos. Esto es muy importante, porque cada paso tiene un significado determinado. Así, hay un baile que requiere grandes conocimientos astronómicos y matemáticos para poder bailarlo con precisión. Se remonta a la antigüedad azteca. Entonces, la sucesión de los pasos era fijada por los astrónomos muchas semanas antes de la ceremonia. Porque el resultado de complicadas multiplicaciones del número de danzantes, el número de sus pasos y el rítmico sonar de los tambores correspondía a la distancia entre la Abuela Luna y la Madre Tierra en el momento exacto en que se bailaba el baile.

Nuestros bailes son oraciones. Damos gracias a la Madre Tierra porque siempre estuvo ahí, como el Padre Sol y el hermano viento y las montañas, las nubes, la lluvia.

Algunos de nuestros hermanos cantan en voz alta nuestros cantos sagrados, cuyas palabras poseen mucha energía; otros soplan la caracola o tocan el tambor. Ambos instrumentos son sagrados para nosotros. La caracola porque simboliza el infinito, el tambor porque su sordo sonido simboliza el latir del corazón de la Madre Tierra. Así, en nuestro idioma llamamos al tambor igual que al árbol de cuyo tronco se hace: Aueuetl, «el reverenciado anciano del agua».

Así nos han enseñado los antepasados a construir un temazcalli, una choza para sudar: pregunta a la Madre Tierra si es el lugar correcto y el momento oportuno. Clava entonces varas en círculo en el suelo, dóblalas hasta unirlas por las puntas y cúbrelas con la piel de un búfalo. Cava en el centro una hondonada poco profunda, aviva un fuego delante de la choza, calienta en él grandes piedras redondas, llévalas a la choza, mételas en la hondonada y rocíalas con agua, añadiendo salvia y otras hierbas. No digas palabras innecesarias, sé sincero.

Cuando vamos con nuestros hermanos y con nuestras hermanas a la «casa de las piedras ardientes» y allí meditamos, o cuando un curandero libera a un hermano o una hermana del poder maligno de una enfermedad, esto es algo que tiene gran fuerza simbólica para nosotros. Porque en el temazcalli dejamos nuestros malos pensamientos y todas las malas energías. Durante la ceremonia nos sentamos todos en círculo. Nos quitamos las ropas y adornos, porque somos niños en el seno de la Madre Tierra. Se cantan cantos y se rezan oraciones:

Aquí estamos, todos juntos
en un lugar, y tan próximos
que oímos nuestro aliento.
Aquí estamos protegidos por el vientre
de nuestra Madre Tierra.
Éste es el lugar

en el que percibimos los cuatro elementos:
la tierra, el agua, el aire y el fuego.
Hemos venido con humildad y amor
para encontrarnos y volver a nacer.
Aquí, en este lugar de energía,
de búsqueda de visiones, de salud.
Ometéotl, dualismo eterno,
aquí estamos con gran atención,
tal como vinimos a la tierra:
sin ropas, sin adornos,
sin rango, sin títulos.
Me gustaría saberlo y aprenderlo todo
para estar satisfecho,
y para poder transmitir esa satisfacción
que habrá en mí.
Te invoco, hermano coyote, dame fuerzas,
igual que tú, hermano oso,
y también tú, hermano puma,
sin olvidar al águila y a la serpiente.
Pero no me des fuerza sólo a mí,
sino a todos nosotros.
Porque si tenemos fuerza,
satisfacción y sabiduría,
podremos transmitirla a todos.

Sólo cuando entiendes la lengua de un hombre entiendes sus pensamientos. Así que hablemos de la palabra qualli. La decimos cuando algo es bueno. En nuestra lengua no existen palabras para «malo» o «malvado». Lo que se llama así en el lenguaje de los blancos, nosotros lo llamamos «aqualli», que significa «no bueno». Quizá eso se deba a que sabemos que nada es malo. Porque quien es «malo», o, en nuestra lengua, «no bueno», aún no ha conocido en su desarrollo el Bien. Hay que consolar a un hombre así, porque es muy pobre.

A veces me pongo muy furioso al ver cómo tratan los hermanos blancos a nuestra Madre Tierra. Uno de mis hermanos del norte los llama «quemadores de bosques», «quemadores de ozono», «quemadores de queroseno», «quemadores de urano». Cavan en el vientre de la Madre Tierra buscando metal, escupen sobre ella cuando echan agua sucia a los ríos y mares, le cortan el cabello cuando talan árboles. Luego, mis hermanos blancos se sorprenden de que la Madre Tierra enferme y se duela. La peor de las frases de su religión dice: «Dominad la tierra.» ¿No es una blasfemia que un hijo domine a su propia madre?

Pero los reproches no curan la necedad. Es preciso aprender mucho. Aprended pues a entender otra vez el lenguaje de nuestra Madre Tierra, porque lo habéis olvidado. Sólo cuando entendáis su lengua entenderéis sus pensamientos.

El águila grita,
el ocelote ruge:
esto es México-Tenochtitlan,
donde el agua es de jade.
Un lugar sin violencia,
de mil colores,
donde es posible crecer.
He venido, miradme:
Soy una flor blanca,
soy un faisán,
vengo de Acolhuacan.
Escuchadme:
Alzaré mi canto,
porque he venido
para hacer feliz a Moctezuma:
Permitid que salga bien.

* *Nezahualcóyotl*

Muchos de vosotros, hermanos blancos, y muchas de vosotras, hermanas blancas, no lo creeréis, pero nosotros sabemos que los árboles son seres buenos y tienen una gran fuerza. A un árbol muy viejo, muy grande y sagrado para nosotros lo llamamos Uei Aueuetl. Eso significa en nuestra lengua: «El muy reverenciado anciano del agua.» Entre árboles así hacemos muchas de nuestras ceremonias y bailes. Pero las personas también van allí cuando quieren hacer lo que se llama «casarse». El árbol les hablará con su antigua sabiduría para que sean buenos semicírculos el uno para el otro.

A uno de esos árboles se lleva también a los enfermos, porque la fuerza del árbol los cura. Y cuando un hombre de la Tierra tiene grandes preocupaciones, viene y habla largo tiempo con el árbol. A menudo el árbol le ayuda a resolver sus problemas. Luego, esos hombres y mujeres le llevarán en ofrenda lo más hermoso que tengan. Se cortarán los cabellos trenzados y los colgarán en las ramas del árbol. Y también perlas, piedras preciosas, objetos de plata o una bolsita llena de tabaco y salvia.

Sentaos con nosotros junto al fuego y escuchad la historia de Iztaccihuatl y Popocatépetl, tal como nos ha sido transmitida por los antepasados de los antepasados:

Iztaccihuatl, la hija del gran jefe Acayatzin, era una bellísima mujer. Popocatépetl era un valeroso y fuerte guerrero, honrado y justo, pero sin sangre noble. Ambos sentían gran amor el uno por el otro. Entonces Acayatzin se dio cuenta de que estaban siempre juntos, y le dijo a Popocatépetl: «Esto no puede ser, no es posible. Iztaccihuatl es mi hija... ¿y tú qué eres? No eres más que un guerrero. Ve pues a la guerra, demuestra tu valor, regresa entonces y toma por esposa a mi hija.» Y así lo hizo Popocatépetl: Se despidió de Iztaccihuatl y marchó a la guerra. Pasó un año tras otro, no había noticias del valeroso guerrero, y todos pensaron que Popocatépetl había muerto. Tan sólo Iztaccihuatl seguía esperando su regreso. Pero el tiempo transcurría, y como no llegaba noticia alguna de Popocatépetl, el gran jefe Acayatzin destinó a su hija a otro hombre: «Hemos esperado mucho a Popocatépetl, no volverá, está muerto.» Iztaccihuatl estaba muy triste. No quería otro esposo, así que cogió un cuchillo de obsidiana.

Cuando tengas preocupaciones, alza la vista hacia las estrellas y habla de ellas a tus hermanos.

Muchos hermanos y hermanas acudieron para acompañar con ceremonias y rezos a Iztaccihuatl en su camino de vuelta a la Madre Tierra. Esto tenía que ocurrir tres días después, para que fueran cuatro días, el primer día de su muerte y tres días más. Al cuarto día, Popocatépetl volvió de muy lejos. Se había convertido en un gran guerrero, el mejor que recordaban los antepasados. Como su dolor fue demasiado grande al saber lo ocurrido, también él cogió el cuchillo de obsidiana y siguió a su amada Iztaccihuatl al seno de la Madre Tierra.

Y así los espíritus de ambos se retiraron a las rocas, por lo que las montañas en que habitan se llaman como ellos: Iztaccihuatl, «la mujer blanca», y Popocatépetl, «la montaña que fuma».

¿Con qué me iré?
No dejaré nada de mí sobre la tierra.
¿Cómo debe obrar mi corazón?
¿Ha venido quizá en vano, para vivir
y crecer sobre la tierra?
Dejemos por lo menos flores atrás,
¡dejemos por lo menos las canciones!

* *Nezahualcóyotl*

De «aquel que puede hacer la lluvia» cuentan los antepasados lo siguiente: «Dulce jugo de la Tierra», al que en nuestro idioma llamamos Tláloc, vive en una gran casa con cuatro aposentos y un gran patio en medio. En ese patio tiene cuatro grandes jarrones con distintas aguas. El agua del primer jarrón es muy buena. Cuando Tláloc hace llover de ella, el maíz y los frutos del campo prosperan. En cambio, cuando Tláloc hace llover del segundo jarrón, es malo para el maíz y los frutos del campo, porque les crecen marañas blancas y se ennegrecen. Cuando Tláloc vierte el tercer jarrón, baja el frío del cielo, y las mazorcas de maíz se congelan. En cambio, si llueve del cuarto, la Madre Tierra tiene poca agua para beber. El maíz no da grano, y los hijos de la Madre Tierra pasan hambre.

Reverencia las fuerzas que no ves, que no puedes coger, que no puedes oler. Reverencia esas fuerzas, porque te muestran el camino correcto.

Tláloc tiene muchos ayudantes. Son pequeños de estatura, y viven en los cuatro aposentos de su casa. Llevan en las manos pequeños cubos con los que, cuando se les ordena, sacan agua de uno de los cuatro grandes jarrones. Así ayudan a Tláloc a repartir el agua de los cuatro jarrones entre los cuatro puntos cardinales. Como le gusta a Tláloc y como él sabe que es correcto y que debe ser. Los ayudantes tienen bastones con los que rompen los cubos cuando debe caer mucha lluvia sobre la Madre Tierra. Al romperse los cubos se oye el trueno. Y cuando el rayo baja, rompe un árbol y prende fuego, es la fuerza de uno de los trozos.

¡Las calles de vuestras ciudades son tan luminosas! ¿Es que tenéis miedo a las estrellas? ¡Vuestra música es tan ruidosa! ¿Es que tenéis miedo al susurrar del viento? ¿O quizá es que tenéis miedo de vosotros mismos?

La luz que vino a la Tierra

De cómo el anciano Nanahuatzin se arrojó al fuego y se convirtió en «el que trae la luz»

Se cuenta que mucho antes de la creación de los hombres de la Tierra hubo una creación de la luz, porque los símbolos de las distintas energías estaban de acuerdo en que era hora de traer la luz a nuestro mundo.

«Pero ¿cómo?», preguntó Huitzilopochtli, el símbolo de la voluntad.

«No creo que sea muy difícil —opinó Quetzalcóatl, el símbolo del conocimiento y la sabiduría—. En este mundo ya existe la luz, en forma de fuego. Uno de nosotros tendría que arrojarse a él y volver a salir convertido en "la luz".»

Todos celebraron esa idea, considerándola muy buena. «¡Ésa es la solución! No en vano simbolizas el conocimiento y la sabiduría.»

Xochipilli, símbolo del baile y de las flores, preguntó: «¿Quién de nosotros lo hará?»

«Uno de nosotros tiene que hacerlo —constató Xipetótec, el símbolo de la fertilidad—. Y ahora; es el momento oportuno.»

Se produjo un gran silencio. Todos los que antes

habían hablado alto y con sabiduría enmudecieron.

«Yo lo haré, yo me arrojaré al fuego —dijo una voz débil. —Todos miraron sorprendidos al que hablaba—. Yo, Nanahuatzin, el símbolo de la vejez.»

Todos rieron, y dijeron burlones: «¿Tú, Nanahuatzin? ¿Precisamente tú vas a traer la luz a este mundo? ¿Precisamente tú, que eres tan viejo, tembloroso y frágil?»

«Yo lo haré —dijo el anciano con gran dignidad—, puedo hacerlo, y estoy dispuesto a hacerlo.»

Entonces todos rieron y se burlaron aún más de él. Ometéotl, el símbolo de la dualidad, estaba muy preocupado: «¡Excepto Nanahuatzin, que no puede ser tomado en serio, nadie se ha ofrecido!»

Otra vez todos tuvieron algo que decir para mover a otro a arrojarse al fuego para traer la luz al mundo. Finalmente Xitlalpopoca, el símbolo de la concentración, fue elegido y designado para hacerlo.

«Eres fuerte, alto y joven. ¡Tú te arrojarás al fuego, así lo ha decidido el consejo!», dijo Ometéotl, que no sólo es el símbolo de la dualidad, sino también el primero entre los símbolos.

Todos ayudaron a encender el fuego, y pronto se elevaron altas y luminosas llamas. Todos esperaron a que Xitlalpopoca se arrojara al fuego. Las llamas se elevaban cada vez más, y todos preguntaban: «¿Cuándo va a arrojarse al fuego?» Pero Xitlalpopoca no daba el paso decisivo.

Ometéotl dijo al elegido: «¡Arrójate al fuego, ha llegado el gran momento, es el instante oportuno!» Pero precisamente en ese momento la cobardía asaltó a Xitlalpopoca, y se negó a saltar a las llamas.

«Yo lo haré», dijo Nanahuatzin, y antes de que nadie pudiera responderle se arrojó al fuego. Ya no se le vio más, y se quemó.

Cuando mires el fuego, cuando observes el cielo, no olvides que se trata de los espíritus de los antepasados de nuestros antepasados.

Entonces, de repente, una bola de fuego se alzó de entre las llamas y voló más arriba de lo que el águila es capaz de hacer. Se hizo más y más grande y voló más y más alto, hasta que se detuvo en lo más alto del cielo. Avergonzado por su cobardía, Xitlalpopoca se incorporó: «Sano, fuerte, alto y joven, no me he atrevido a hacer lo que el sabio anciano ha hecho sin titubear», pensó, y se lanzó también al fuego. También él se quemó, ya no se le vio más y subió al cielo como una bola luminosa. Pero esa bola de fuego era mucho más pequeña que la de Nanahuatzin.

Ometéotl miró al cielo y dijo: «No necesitamos dos soles. El primero fue valiente, el segundo cobarde; que el valiente sea la luz de este mundo como nuestro reverenciado Padre Sol. Su nombre será Totatzin Tonatiuh.»

Entonces Ometéotl tomó un conejo, que es el

símbolo de la fertilidad y la femineidad, y se lo lanzó a la segunda pequeña bola del cielo.

De ese modo nació la Luna, que en nuestra cultura es femenina.

La montaña blanca se alza en el Oeste.
Destaca esplendorosa.
Blancos arcos de luz
se tienden desde su cúspide
y la unen con la tierra.

La montaña blanca se alza en el Oeste.
Destaca esplendorosa.
Azul se hunde la tarde.
Allá donde miro
bailan sedosos hilos de maíz.

* *Canto de los hermanos papago*

Las cosas que acordáis vosotros los blancos se escriben con signos en un trozo de papel, que luego conserváis en un armario. Vuestra palabra para esos trozos de papel es «contrato». Pero ¿para qué y con quién queréis contratar? Si nosotros tomamos acuerdos con nuestros hermanos, esto ocurre en una asamblea en la que se habla alto y claro, de forma que todo el mundo pueda oírlo. Que todo el mundo pueda ser testigo: El coyote en el campo, el lagarto entre la hierba, los pajarillos en los árboles, el oso en los bosques, el puma en las rocas, el águila en las nubes. Y también las nubes son testigos, y los árboles, la hierba, las rocas. Todos escuchan, todos se enteran. Qué vergüenza si alguno rompe lo prometido. Pero vosotros escondéis vuestros contratos en armarios y arcones. ¿Por qué lo hacéis?

Había muchas cosas que no teníamos antes de que llegaran nuestros hermanos blancos. No teníamos ningún Jesucristo al que tuviéramos que orar. No teníamos cárceles, y no teníamos ladrones. No teníamos dinero, y por eso no se medía a un hombre por su dinero. Compartíamos nuestra Madre Tierra con nuestros hermanos, los pájaros, las serpientes, el jaguar, el hermano coyote, la tortuga. Cada cual iba donde le apetecía. No había fronteras, así que no había disputa alguna. No conocíamos escribanos que escribieran las leyes, ni nadie que rompiera las leyes escritas. Éramos salvajes y carentes de civilización. La única ley que seguíamos era la sabiduría de nuestra Madre Tierra, que nos es transmitida una y otra vez con cada nube y cada soplo del viento desde los tiempos de los antepasados de nuestros antepasados.

Tiene que habernos ido horriblemente mal antes de que vosotros, hermanos blancos, llegarais hasta nosotros.

Reuníos, hermanos hopi, shoshones,
apaches, aztecas, pima y pawnee.
Reuníos, hermanos mayas, miztecas,
potawatomi, lakota, omaha, cherokee.
Reuníos, hermanos ojibwa, shawnee,
tzotzil, y vosotros, hermanos totonacas.
Porque sabemos
que aunque hoy el viento sólo mueve las hojas,
mañana puede ser la tempestad.

Los blancos llegaron a nuestra tierra y se apoderaron de ella. Quemaron nuestros pueblos y violaron a nuestras mujeres. Abatieron al búfalo sólo por divertirse. Se rieron de nosotros por nuestras danzas y ceremonias. Nos trajeron alcohol y muchas enfermedades. Nada era sagrado para ellos, ante nada tenían respeto.

Ahora que la propia Tierra sufre su falta de respeto y su arrogancia, ahora que hay que inventar palabras nuevas para las enfermedades de la Tierra: agujero de ozono y efecto invernadero, marea negra, lluvia ácida... ahora que ellos mismos están enfermos, vienen a nosotros los salvajes y piden nuestro consejo y el de la sabiduría de nuestros antepasados.

Sabemos que todos somos hermanos y que todos tenemos una misma madre. Ayudamos lo mejor que podemos. Compartimos la sabiduría de nuestros antepasados.

Pero hay algo que tienen que aprender nuestros hermanos blancos: Tratad todo esto con respeto, porque todo esto nos es sagrado. Y escribir algo en los libros no significa que eso vaya a hacerse.

Aquí, querido hermano,
tienes el pan del amor,
la miel de las flores,
el consejo del conocimiento
y la tranquilidad para tu rostro.

Quisiera hablarte,
pero tu oído no me oye.
Quisiera darte mi amor,
pero tu corazón está cerrado.

Pero llegará el día,
y la fecha será testigo.
Lo que te digo es verdad,
y lo bueno que te deseo
ha sido dicho con mucho amor.

El discurso del reverenciado jefe Seattle

No escuchéis estas palabras con los oídos,
hermanos blancos, escuchad estas palabras
con vuestros corazones

En el cómputo del tiempo de los blancos, en el que hay sólo un número para cada año, pero no un nombre, esto ocurrió en el año 1854. Exceptuando unos pocos lugares, nos habíais robado nuestra tierra, matado al búfalo y explicado que ahora todos los ríos y los peces en ellos, todos los bosques y los osos en ellos, todas las praderas y sus plantas, os pertenecían. Sólo para nosotros, que éramos orgullosos y no queríamos perteneceros, no había lugar en esa tierra que habitábamos desde el tiempo de los antepasados de nuestros antepasados. Trajisteis papeles en los que habíais escrito tratados en vuestro idioma. Pero esos tratados tenían graves consecuencias para nosotros, porque no queríais tratar con nosotros.

Así, se cuenta un triste acontecimiento que tuvieron que sufrir mis hermanos del pueblo de los suquamish y mis hermanos del pueblo de los duwamish: el gran consejo de los blancos había decidido en Washington que tenían que abandonar su tierra. A cambio se les reservaba otro sitio, en un lugar no tan adecuado para la vida de mis herma-

nos. Se plasmó el acuerdo en un tratado y se envió al jefe de los suquamish y los duwamish, el jefe Seattle. Para nosotros, la respuesta del gran jefe al jefe blanco de Washington es lo más hermoso y conmovedor que se ha dicho jamás sobre nuestra Madre Tierra. Por eso debe ser repetido aquí. ¡Que quien lo escuche abra su corazón a estas palabras! Escuchad pues:

«¿Cómo se puede comprar o vender el firmamento, el calor de la Tierra? Esta idea nos es desconocida. Si no somos poseedores del frescor del aire ni del brillo del agua, ¿cómo podéis comprarlo? Cada trozo de esta tierra es sagrada para mi pueblo. Cada árbol, cada grano de arena en la playa e incluso el ruido de cada insecto es sagrado para la memoria y el pasado de mi pueblo. La savia que circula bajo la corteza de los árboles lleva en sí el recuerdo de los hombres de la Tierra.

»Los muertos del hombre blanco olvidan su país natal cuando emprenden su ruta entre las estrellas. Nuestros muertos, en cambio, nunca olvidarán esta buena tierra, porque es su madre. Somos una parte de esta tierra, e igualmente ella es parte de nosotros. Las aromáticas flores son nuestras hermanas, el venado, el caballo, la gran águila son nuestros hermanos. Las rocas removidas, las húmedas praderas, el calor del cuerpo de los caballos y el hombre, todos pertenecemos a la misma familia.

»Debido a todo esto, cuando el jefe de Washington nos envía el mensaje de que quiere comprar nuestra tierra, nos pide demasiado. También dice que quiere reservarnos un lugar en el que podremos vivir cómodamente entre nosotros. Por eso consideramos su oferta de compra de nuestras tierras. No es fácil, porque esta tierra es sagrada para nosotros.

»El agua cristalina que fluye en los ríos y arroyos no es sólo agua, sino que representa también la sangre de nuestros antepasados. Si os vendemos la tierra, tendréis que recordar que es sagrada y que cada reflejo en el agua clara de los lagos cuenta los acontecimientos y los recuerdos de la vida de nuestra gente. El susurrar del agua es la voz del padre de mi padre. Los ríos son nuestros hermanos y calman nuestra sed, son los propietarios de nuestras canoas y alimentan a nuestros hijos. Si os vendemos nuestras tierras, tendréis que acordaros de esto y enseñar a vuestros hijos que los ríos son nuestros hermanos y también los vuestros, y por eso han de ser tratados con la misma dulzura con la que se trata a un hermano.

*Vosotros,
hermanos de allí,
y nosotros,
hermanos de aquí,
somos todos
plantas de un
único jardín.*

»Sabemos que el hombre blanco no entiende nuestra forma de vivir. No sabe distinguir entre un trozo de tierra y otro, porque es un extranjero que viene en la noche y toma de la tierra lo que necesita. La tierra no es su hermana, sino su enemiga, y una vez que la ha conquistado sigue su camino, dejando atrás las tumbas de sus padres sin que eso sea importante para él. Si la tierra le quitara a sus hijos, tampoco le importaría. Olvidaría tanto la tumba de sus padres como la herencia de sus hijos. Trata a su madre, la tierra, y a su hermano, el firmamento, como objetos que se compran, saquean y se venden igual que borregos o cuentas de colores. Su apetito estrangularía la tierra y dejaría un desierto tras de sí.

»No sé si nuestra forma de vida es distinta de la vuestra. La mera visión de vuestras ciudades apena los ojos de los hombres de la Tierra. Pero quizá sea porque nosotros los hombres de la Tierra somos salvajes y no entendemos nada.

»No hay ningún lugar silencioso en las ciudades del hombre blanco, ni un lugar en el que se pueda oír cómo crecen las hojas de los árboles en la primavera. O cómo vuelan las abejas, los abejorros y las moscas. Pero quizá eso también sea porque soy un salvaje que no entiende nada. El ruido perturba nuestros oídos... ¿de qué sirve vivir si el hombre no puede oír ni el grito solitario del coyote ni los diálogos y discusiones nocturnas de las ranas al borde del charco? Yo soy un piel roja, y no entiendo nada. Nosotros preferimos el suave rumor del viento sobre un charco. Y el olor de ese mismo viento, limpio por la lluvia de la mañana y lleno del aroma de olorosos bosques.

»El aire tiene un valor incalculable para un piel roja, porque todos los seres respiran lo mismo: el animal, el árbol, el hombre. El hombre blanco no es consciente del aire que respira. Igual que un moribundo que lucha con la muerte durante muchos días es insensible al mal olor. Pero si nosotros vendemos nuestra tierra, deberéis recordar que el aire es muy valioso para nosotros; que el aire comparte su espíritu con la vida, que contiene al viento, que dio a nuestros antepasados el primer aliento de vida y recibió también su último aliento. Y si vendemos nuestra tierra, deberéis conservarla como algo importante y sagrado, como un lugar en el que también el hombre blanco puede disfrutar del viento aromático de las flores.

No envidies al águila porque puede volar. Porque no puede nadar como un pez.

»Yo soy un salvaje, y no entiendo ningún otro estilo de vida. He visto miles de búfalos exterminados en las praderas, abatidos por el hombre blanco desde un tren en marcha. Soy un salvaje, y no entiendo cómo una máquina humeante puede ser más importante que el búfalo, al que nosotros sólo matamos para sobrevivir.

»¿Qué sería el hombre sin los animales? Si todos fueran exterminados, también el hombre moriría de una gran soledad espiritual, porque lo que ocurre con los animales también le pasa al hombre. Todo va unido.

»Deberéis enseñar a vuestros hijos que el suelo por el que caminan son las cenizas de nuestros abuelos. Decid a vuestros hijos que la tierra está enriquecida con la vida de nuestro prójimo, para que sepan respetarla. Mostrad a vuestros hijos lo que nosotros hemos mostrado a los nuestros: que la tierra es nuestra madre. Todo lo que le ocurra a la tierra le ocurrirá a los hijos de la tierra. Cuando los hombres escupen en el suelo, escupen sobre sí mismos.

»Sabemos que la tierra no pertenece al hombre, el hombre pertenece a la tierra. Sabemos que todo está relacionado, como la sangre que une a una familia. Todo está unido. Todo lo que le ocurra a la tierra le ocurrirá a los hijos de la Tierra. El hombre no ata el nudo de la vida, no es más que el hilo. ¡Lo que hace con el nudo se lo hace a sí mismo!

»Esta tierra es indescriptiblemente valiosa. Si fuera dañada, se provocaría la ira de la Madre Tierra. Los blancos serían exterminados por las otras tribus. Ensucian sus ríos... y una noche despertarán entre sus propios restos.

»Este destino es un misterio para nosotros, porque no podemos entender por qué ha de ser exterminado el búfalo y domesticados los caballos salvajes, y por qué se satura el paisaje lleno de abundantes colinas con cables parlantes.

»¿Dónde está el matorral? ¡Fue destruido!

»¿Dónde está el águila? ¡Desapareció!

»La vida ha terminado, y la supervivencia empieza.»

Soy una roca.
He visto la vida y la muerte.
He vivido la felicidad, la preocupación y el dolor.
Vivo una vida de roca.
Soy parte de nuestra madre, la tierra.
He sentido su corazón latir junto al mío.
He sentido su dolor y su alegría.
Vivo una vida de roca.
Soy parte de nuestro padre,
del gran secreto.
He sentido su pena y su sabiduría.
He visto a sus criaturas, mis hermanos,
los ríos y los vientos que hablan, los árboles,
todo lo que hay en la tierra, todo lo que hay en el cielo.
Estoy emparentado con las estrellas.
Sé hablar si tú me hablas.
Escucharé si te diriges a mí.
Puedo ayudarte si necesitas ayuda.
Pero no me hieras,
porque puedo sentir como tú.
Tengo fuerza para sanar,
pero primero tendrás que buscarla.
Quizá piensas que no soy más que una roca,
que yace en el silencio sobre un húmedo suelo.
Pero no lo soy:
Soy parte de la vida, vivo,
y ayudo a aquellos que me respetan.

* *Cesspooch*

Nuestros bailes son, en nuestro idioma, «movimientos para honrar a los cuatro hermanos puntos cardinales». Los hacemos para vivir en armonía los unos con los otros.

En los viejos tiempos, nuestro pueblo no conocía robos ni ladrones. Nuestras chozas no tenían puertas ni cerrojos. Cuando necesitamos algo que nuestro hermano tiene, le ofrecemos algo a cambio. Hasta el día de hoy celebramos fiestas en las que regalamos algo a nuestros hermanos y hermanas, a cambio de lo cual nuestros hermanos y hermanas nos dan otra cosa. Intercambiamos pieles y colchas tejidas, pendientes y cadenas. Damos algo y recibimos algo a cambio. Cada uno de nosotros conoce esa tradición, iniciada por los antepasados de nuestros antepasados. Llamamos a esas fiestas Ichqualichtli lachmaoha.

Nuestro sol se ha escondido,
nuestro sol ya no se ve,
y nos ha dejado en total oscuridad.
Pero sabemos que volverá,
que volverá a mostrarse ante nosotros
y nos dará su brillo una vez más.

* *Mensaje de Uei Tlatocan*

Los hermanos blancos son distintos. No pueden entender que para un indio una planta es tan importante como él mismo. Por eso hablamos con las plantas, y cuando las plantas están enfermas pedimos ayuda a los espíritus con nuestros cantos y bailes para que las asistan.

Nunca olvidaré cómo en una gran ciudad de los hermanos blancos hablé con un árbol que estaba muy enfermo. Le hablé, le pregunté por qué estaba tan triste, qué le habían hecho y por qué ya no quería vivir. Sólo entonces llamó mi atención que algunos hermanos blancos que pasaban movían la cabeza como si mi cerebro estuviera apolillado.

Por desgracia han olvidado por entero, por desgracia jamás han aprendido, por desgracia jamás han sabido hablar con aquello que les rodea.

Vosotros los blancos queréis tenerlo todo: las orillas de un hermoso lago, un trozo de suelo, que es la piel de nuestra Madre Tierra.

Pero cómo se puede poseer el suelo, cómo se puede poseer el agua. Tampoco se dice: «Este aire me pertenece, aparte de mí nadie tiene derecho a respirarlo.» Pero vosotros escribís en vuestras puertas: «Prohibido el paso, propiedad privada», y todos los sitios están rodeados de vallas. ¿Es eso libertad?

Entre nosotros, los ancianos son los que hacen las leyes. Tlatocan es el nombre del lugar en el que se reúnen regularmente. Son veintiséis mujeres y un número igual de hombres, todos ellos mayores de cincuenta y dos años. Pero yo sé de tribus en los que el consejo está formado por veinticinco hombres y veinticinco mujeres y dos niños. Como las leyes también afectan a los niños, tienen derecho a hablar de ellas y a aprobarlas. Entonces, antes de las masacres de los españoles, cada tribu tenía su Tlatocan. Estos consejos de ancianos tenían sus portavoces, que eran enviados a un Tlatocan mayor. De este modo se podía seguir la línea del pueblo a la tribu y hasta la provincia. Al final estaban el Uei Tlatocan, el consejo mayor, y Tlatoani, su portavoz.

El tabaco es sagrado para nosotros. Y es una medicina muy potente. Cuando queremos hablar con nuestros jefes, nuestros ancianos, nuestros hombres de medicina y nuestras mujeres de medicina, llevamos tabaco como regalo y se lo entregamos. Sólo entonces nos sentamos juntos y empezamos nuestra conversación.

Cuando vamos a un lugar sagrado ofrecemos un poco de tabaco a nuestra Madre Tierra. O lo metemos en bolsitas de tela o cuero y lo colgamos en los árboles como regalo a nuestro hermano árbol, al hermano viento o a los cuatro hermanos puntos cardinales. Ya veis: el tabaco es sagrado para nosotros. Por eso lo fumamos durante nuestras ceremonias. Nos ponemos en círculo, de pie o sentados, mientras la pipa pasa de hermano a hermano. Aspiramos una bocanada de humo y la soplamos a la Madre Tierra, al Padre Sol y a los cuatro hermanos puntos cardinales.

Vosotros los blancos no sabéis nada de lo sagrado del tabaco, no sabéis nada de su fuerza mágica. Lo tratáis sin respeto, no podéis conteneros, y os reís de nuestras advertencias. El tabaco os enferma, hace que tengáis que sufrir grandes y prolongados dolores antes de ir a la casa del silencio.

El astuto coyote y la gratitud

Cómo obtuvo ayuda el hermano asno
y por qué el caimán lleva
una pesada piedra en el hocico

Junto al fuego se cuenta esta historia: en un desierto rocoso y seco, sólo había algunos estanques y charcos de poco fondo. Un viejo asno que allí vivía tenía mucha sed, y buscaba un sitio en el que beber. Antes de haber encontrado un pozo, escuchó una voz que se quejaba y gritos de gran dolor. Se acercó y vio un caimán en una charca. Sobre su poderosa cabeza había una gran piedra, que le había caído encima mientras dormía.

«Ven, ayúdame, hermano asno —pidió el caimán—, no puedo liberarme por mí mismo, no puedo moverme, no puedo abrir la boca, y la piedra me hace mucho daño. Ayúdame, hermano asno.»

El hermano asno empujó con las patas con todas sus fuerzas en todos los costados de la piedra, hasta que el caimán quedó libre.

«Muchas gracias —dijo el caimán—, lo has hecho muy bien. Ahora, por favor, llévame hasta un lugar en el que haya más agua, porque tengo gran sed.»

Con gran fuerza de voluntad, el viejo asno consi-

guió llevar al caimán sobre su lomo hasta un lugar en el que había más agua. No mucha, pero la suficiente como para que el asno pudiera beber y el caimán refrescarse. Entonces le dijo al asno:

«Aquí no puedo moverme, esta charca es demasiado pequeña, y como hace tanto calor pronto se secará. Pero conozco un pequeño lago, vamos allí. No obstante, como yo no puedo andar tan deprisa como tú, hermano asno, ¿podrías llevarme a cuestas?»

El asno, sin enfadarse, también lo hizo, y tras larga búsqueda encontraron al fin el lago.

«Lo has hecho bien —dijo el caimán—, pero ayúdame un poquito más, hasta llegar al centro del lago, nado muy mal en aguas poco profundas.»

Cuando ambos llegaron al centro del lago, el caimán dijo al fin: «Éste es el lugar adecuado para saciar mi hambre, así que te voy a devorar.»

Entonces el asno empezó a temblar, a llorar y a implorar por su vida: «Yo te he ayudado tanto. ¿Es ésta tu gratitud?»

«Gratitud —rió el lagarto—, ¿acaso existe la gratitud?, ven aquí y déjate devorar.»

El asno temblaba: «Mira, ahí viene un viejo caballo, vamos a preguntarle si existe la gratitud. Según lo que responda me comerás o no.» Así que le contaron al viejo caballo la historia que los había llevado a los dos al centro del lago.

«Escuchad mi historia —dijo entonces el viejo caballo, y empezó a contar—: Le he dado toda mi fuerza al hermano hombre, le he ayudado, le he apoyado siempre. Y ahora que me he hecho viejo me echa porque ya no tengo fuerza. No, no existe la gratitud. Así pues, hermano caimán, devora al asno.»

«No, por favor, dadme una segunda oportunidad —dijo el asno aterrado—. Esperemos a otro animal para preguntarle su opinión.»

El caimán, que era un tanto lento y algo tonto, aceptó porque ya se acercaba el hermano perro vagabundo.

Tomaos tiempo para entender al viento. Porque sus cantos y susurros cuentan las viejas leyendas y secretos de los antepasados de nuestros antepasados.

«Hermano perro, escucha nuestra historia y dinos si existe la gratitud.»

Una vez que el hermano perro lo hubo escuchado todo, su discurso fue escueto y claro: «Yo he servido al hermano hombre durante toda mi vida, he defendido su tienda y su choza contra el lobo y contra el puma. Pero ahora soy viejo y mis fuerzas se extinguen. Me han echado arrojándome piedras porque ya no puedo cumplir mi tarea. No... no existe la gratitud.»

El caimán abría ya su gran boca para devorar al viejo asno, cuando el astuto hermano coyote vino por el camino cantando y silbando.

«Hola, hermano asno, hola, hermano caimán, ¿qué hacéis los dos juntos en el lago?»

El caimán volvió a cerrar su boca y dijo: «La gratitud no existe, y por eso voy a devorar ahora mismo al hermano asno.»

«Eso de la gratitud no lo entiendo —dijo el astuto hermano coyote—, deberíais explicármelo mejor.» Así que el asno y el caimán volvieron a contar toda la historia.

«¿Cómo, que has hecho que el hermano asno te llevase a cuestas? —le dijo el coyote al caimán—. Eso no lo creeré hasta que lo haya visto con mis propios ojos.»

El caimán volvió a subir a lomos del asno, para que el coyote pudiera verlo con sus propios ojos.

«¿Y dónde está el pozo del que habéis hablado? Tenéis que llevarme hasta allí, si he de juzgar si existe la gratitud.»

«Aquí empezó todo», dijo el asno cuando por fin llegaron al lugar.

«No veo ninguna piedra —dijo el coyote—, ni tampoco me puedo explicar cómo yacía la piedra sobre la cabeza del caimán.»

«Podemos enseñártelo», dijo el caimán, buscó la piedra e hizo que el asno volviera a ponerla sobre su cabeza y su gran boca.

«Ahora, hermano coyote, ves cómo fue todo —dijo el caimán—. Fue exactamente así. Pero apresúrate a emitir tu juicio, porque la piedra es muy pesada y me hace daño en la cabeza. Di, hermano coyote, ¿existe la gratitud o no?»

«No existe la gratitud —dijo el astuto coyote—, y precisamente por eso, hermano asno, déjalo ahí tirado.»

La historia se extendió pronto por entre los hermanos. El puma se la contó al águila y ésta a la serpiente, y el conejo se la contó al oso y éste a la tortuga, por lo que hasta hoy mismo nadie ayuda a un hermano caimán cuando está en apuros.

Piedras, tierra, agua, plantas, sol, la luna, el árbol, la serpiente, el oso y el águila son sagradas para nosotros.
No lo olvidéis, no lo olvidéis nunca:
También vosotros sois parte de ello.

Uno de los nuestros hablaba con un hombre blanco: «¿Has visto alguna vez el aleteo de una mariposa turquesa? ¿De verdad sabes lo que es el amor al ser humano? ¿Sabes lo que es estar próximo y estar juntos? ¿Y el hermoso idioma del canto de los pájaros? ¿Y el silbar del viento? ¿Tienes tiempo para observar los colores de las flores? ¿Conoces quizá el espléndido color de jade de las lagunas y de los ríos? ¿Conoces quizá lo que la Naturaleza nos enseña: el día oscuro y el día claro...? ¿No? ¡No!

»Solamente conoces la armadura, la espada, el cañón. La codicia, el saqueo, la destrucción. De tu boca salen burlas sobre mis hermanos, mi color y mis costumbres. Tu mano no vino a guiar mi vida, tu mano vino a abrirse paso, a imponerse, a robar, a matar.

»¡Has matado a mis hijos, has violado a mis hermanas, has asesinado a traición a nuestros ancianos y matado a nuestros sabios! Has quemado el maíz de nuestros campos y los libros con nuestros escritos. Pisoteaste nuestra bandera, asaltaste mi tierra sagrada y cubriste a nuestra Madre Tierra con la sangre de los míos.

»Pero no ganarás, hombre blanco. ¡Porque te estás matando a ti y a tus hijos! ¡Mis descendientes conservarán todo el rencor y el desprecio que siento por ti, contra ti! El trueno de tus cañones ya no les asustará. Tus falsos ojos ya no les engañarán. Y cuando se enfurezcan ante vuestra presencia, tu boca ya no les mentirá e insultará. Tus manos ya no les marcarán con hierros al rojo, sino que verán tu blanca piel y se acordarán de todas las atrocidades y genocidios que nos has inferido. Intentarán entenderte. ¡Pero ten cuidado, hombre blanco, porque ya conocemos tus muchas astucias! Y nos defenderemos con tus propias armas.

»Pero, hombre blanco... ¿quieres eso realmente? ¡Sé bueno hoy! Porque nosotros perdonamos, pero jamás olvidamos.»

Es bueno para las personas tener la cabeza en las nubes y dejar vivir los pensamientos entre las águilas. Pero también debería pensar que cuanto más alto crece el árbol hacia el cielo, más profundas tienen que penetrar sus raíces en el corazón de la Madre Tierra.

Nadie se transformará en jade,
nadie en oro.
Será conservado por la tierra.
Allí irán a parar todos,
a la casa del silencio.

* Nezahualcóyotl

Cuando tenemos un hijo, es importante que todos los demás hermanos y hermanas se enteren: el oso, el puma, el búfalo, la serpiente de cascabel, el castor, la tortuga, el águila. Pero también el viento, los árboles, la hierba y las plantas deben saber la buena nueva. Por eso celebramos una ceremonia en la que llamamos en alta voz a todos nuestros hermanos y hermanas para que no puedan dejar de oírnos:

¡Ho howa ho! Todos los que estáis arriba en el cielo.
Vosotros los que estáis surcando los aires...
¡Ho howa ho! Todos los que estáis aquí en la tierra.
Vosotros que corréis con rapidez,
los que estáis en los bosques.
Y vosotros que guardáis silencio
porque tenéis raíces...
¡Ho howa ho! Todos vosotros, los que nadáis
en las olas, y también vosotros, arroyos y lagos,
y también vosotros, mares aún mayores...
¡Ho howa ho! Escuchad todos:
Un nuevo hermano (una nueva hermana)
está entre vosotros.
Os rogamos que le seáis propicios,
sedle todos propicios.
Allanadle el camino para que pueda
salir a caminar
hacia los cuatro hermanos puntos cardinales.
¡Ho howa ho!

CUIDAD
A LAS MUJERES

Hermanos, sed buenos con vuestras
hermanas, porque son la otra
mitad de vosotros mismos

Según nuestro calendario ritual, nosotros los hombres de la Tierra estamos «trece ciclos de veinte soles» en el vientre de nuestra madre. Pasado ese período, el niño viene con los otros hermanos y hermanas. En vuestro idioma, decís que la mujer trae al niño al mundo. Nuestras mujeres están muy sorprendidas de que sus hermanas blancas se tumben de espaldas para hacerlo. Ellas no conocen una cosa así, se ponen en cuclillas para el parto. Es mucho más sencillo, porque en cuclillas una mujer se abre mucho más fácilmente. Y la Madre Tierra ayuda, con la gran fuerza que vosotros los blancos llamáis gravedad, a sacar al niño del vientre de la madre.

Pero ésa no es la única diferencia. Mientras muchas de vuestras mujeres van al hospital, nuestras mujeres se retiran a la choza de sudar. Allí no están solas, las acompañan otras mujeres del pueblo. Nunca he oído que una de nuestras mujeres se haya quejado de un parto difícil. Ello se debe a que durante los trece ciclos de veinte soles se preparan intensamente para el parto. Mastican distintas hierbas

o hacen una infusión con ellas. Una de esas hierbas es el Cohosh, una planta cuyas raíces se pisan y se beben en infusión cuatro días antes del parto. En la lengua de mis hermanos ojibwa, Cohosh significa «cuidad a las mujeres». Es un tipo de ranúnculo que contiene una sustancia que relaja los músculos. Acelera el inicio de las contracciones y estimula la musculatura del útero.

Los ancianos dicen: la ley y el acuerdo del consejo son sólo la mitad de buenos si se deciden sin las mujeres.

Cuando nacen nuestros niños, no se les aparta enseguida de la madre para lavarlos. En cuanto vienen al mundo, los tumbamos sobre el cuerpo de la madre para que sientan su calor y puedan succionar de su pecho. Entretanto, también vosotros habéis empezado a hacerlo. Pero en algunos de vuestros hospitales nada ha cambiado: Los niños sólo están con sus madres para mamar, el resto del día y de la noche están tumbados solos en sus cunas. Cuando madre e hijo dejan el hospital, el cochecito y la cuna se encargan de mantenerlos apartados.

A menudo el pecho se les retira demasiado pronto, o ni siquiera se les da. En vez de leche materna, hay alimentación artificial. Entre nosotros la leche de las mujeres goza de gran respeto. En tiempos de los antepasados, incluso se daba a beber la sobrante a los sacerdotes, astrónomos y guerreros.

Después, cuando vuestros hijos se han hecho mayores, los enviáis a guarderías y jardines de infancia, porque muchos padres no tienen tiempo para sus hijos, quizá incluso no quieren tenerlo. Nosotros nunca dejamos solos a nuestros hijos. Siempre están rodeados por los abuelos, tíos y otros parientes. Se sientan juntos, cuentan historias y cantan canciones. Adonde van los padres, van los niños con ellos.

Huehuetéotl significa «la reverenciada y vieja energía». Cada uno de nosotros venera a Huehuetéotl, porque entre nosotros se dice que quien le venera, venera también a los ancianos. Y quien venera a los ancianos venera la vida.

Nosotros los indios sólo matamos árboles cuando los necesitamos: su madera cuando construimos una canoa, sus ramas cuando levantamos una tienda. Nosotros los indios sólo matamos animales cuando los necesitamos: su carne para no morir de hambre, su piel para cubrir con ella nuestras tiendas y chozas. Hablamos además con el espíritu de los animales y de los árboles que hemos matado:

«Te doy las gracias, hermano árbol, y a ti también, hermano ciervo, al que he matado. Y te doy las gracias a ti, hermano oso. Te doy las gracias, hermano búfalo, al que he matado. Tuve que hacerlo, porque estaba hambriento. También nuestras mujeres e hijos estaban muy hambrientos. Pero no despilfarraremos nada: ni tu carne ni tu cornamenta, ni tu piel ni tampoco tus huesos. Y gracias a la Madre Tierra, que nos ha creado a todos.»

No llevéis ira en el corazón y no alberguéis rencor contra nadie. No penséis siempre sólo en vosotros mismos y en vuestra propia generación. No olvidéis que vosotros seréis los antepasados de muchos antepasados de muchas generaciones. Pensad en los hijos de los hijos que os sucederán. Pensad en aquellos que aún no han nacido y cuyos rostros aún están ocultos en el seno de nuestra Madre Tierra. Pensad en ellos en todo lo que hagáis.

Las personas que no hacen más que trabajar no tienen tiempo para soñar. Pero sólo el que sueña encuentra la sabiduría. Los sueños son muy importantes para nosotros los indios. El hombre blanco no lo entenderá, pero en los sueños las medicinas hablan al sanador de su poder, en los sueños sabemos el nombre que habremos de llevar, en los sueños se anuncian acontecimientos, en los sueños recibimos mensajes, en los sueños nos hablan los espíritus.

La choza para sudar, temazcalli, es un lugar muy importante para nosotros. Es también un lugar de gran fuerza espiritual. Por eso no se puede construir un temazcalli en cualquier sitio. Nuestros hombres de medicina, mujeres de medicina y sanadores emplean mucha concentración para escoger el mejor lugar para un temazcalli. Cuando vamos al temazcalli, todos estamos desnudos. No llevamos adornos, no tenemos rango. Todos somos iguales, iguales como al principio de nuestra vida, cuando nos convertimos en hijos e hijas de la Madre Tierra. En las ceremonias que tienen lugar en el temazcalli expulsamos todo nuestro odio, toda nuestra arrogancia. Dejamos allí toda nuestra agresividad. Arrojamos fuera de nosotros lo que nos impide ser felices. Y como en la choza para sudar reina la oscuridad, nadie tiene de qué avergonzarse.

En los países y en las ciudades de los blancos los ancianos no son respetados. ¿Es que no se sabe que son las columnas de un edificio, y que sin esas columnas el edificio carece de fuerza? Los ancianos nos alimentan con sus conocimientos y su sabiduría. Por eso nosotros hablamos a nuestros ancianos con gran respeto y reconocimiento, llamándoles «muy reverenciada madrecita» o «muy reverenciado, estimadísimo padrecito». Pero en los países y ciudades de los blancos he visto que muchos de vuestros ancianos carecen de sabiduría. Se quejan mucho, están insatisfechos con su vida, no tienen alegría en su corazón. Eso me entristece, porque ¿cómo vais a aprender de su ejemplo?

Cuando los blancos oyen silbar al viento y borboritar a un arroyo, cuando oyen susurrar las hojas y crujir al árbol, para ellos no son más que ruidos y susurros. Para nosotros son señales, mensajes y noticias de nuestra Madre Tierra. Pero en vuestro mundo hay tanto ruido que las silenciosas conversaciones de nuestros hermanos ríos y nuestros hermanos árboles, nuestras hermanas nubes y nuestro hermano viento, ya no pueden oírse.

Viento de las nueve serpientes y Viento de las nueve cavernas

De cómo serpiente puma y serpiente jaguar castigaron a sus hijos

Muchas de nuestras historias hablan de los tiempos ocurridos mucho antes de los tiempos de los antepasados de nuestros antepasados. Ésta me la ha contado un hermano de los mixtecas.

Era la época de la oscuridad y las tinieblas. El sol y la luna aún no habían aparecido, así que no había días ni años, no existía el tiempo. Ni había árboles ni animales, el agua no estaba repartida, de forma que no había ningún lugar en el que una sola criatura hubiera podido vivir.

Entonces ocurrió que dos seres de energía aparecieron en figura humana. Se llamaban serpiente puma y serpiente jaguar. Como eran sabios, decidieron fijar un principio, y como tenían poderes mágicos podían hacer realidad esa decisión. Así que concentraron sus poderes mágicos, sacaron del agua una enorme roca y construyeron sobre ella un espléndido palacio que les sirviera de vivienda. De la parte más alta de la roca rompieron un trozo afilado con el que hicieron un hacha de piedra. La pusieron con la punta hacia arriba, de forma que el cielo

y las nubes pudieran reposar sobre ella. Por eso mis hermanos llaman a ese lugar «lugar donde descansa el cielo».

Serpiente puma y serpiente jaguar vivieron allí en gran paz y contento. Entonces sucedió que serpiente puma y serpiente jaguar se casaron y tuvieron dos hijos. Por el día en que nacieron los llamaron «viento de las nueve serpientes» y «viento de las nueve cavernas». Eran de hermosa figura y tenían conocimientos de todas las artes. Desarrollaron la astronomía y la magia, se decía de ellos que incluso podían transformarse en águilas y en serpientes, hacerse invisibles y atravesar las piedras, los muros y las rocas.

Mientras serpiente puma y serpiente jaguar vivían en gran paz y alegría, viento de las nueve serpientes y viento de las nueve cavernas decidieron hacer un sacrificio en honor de sus padres. Prendieron leña mezclada con tabaco y alzaron el humo al cielo, tal como seguimos haciendo ahora cuando honramos a la Madre Tierra y el Padre Sol. Y como viento de las nueve serpientes y viento de las nueve cavernas tenían, además de sus conocimientos de magia y astronomía, gran sabiduría y mucha habilidad para la agricultura, decidieron plantar un jardín con césped y árboles, hortalizas y otras plantas con fruto. En el centro de ese jardín dispusieron un lugar adecuado para los sacrificios. Los árboles y el césped crecieron, y viento de las nueve serpientes y viento de las nueve cavernas eran tan felices como sus padres.

Pero entonces ocurrió que viento de las nueve serpientes y viento de las nueve cavernas dejaron de estar satisfechos con su jardín. Les resultaba demasiado pequeño, y querían más árboles frutales. «Hagamos un sacrificio de petición a nuestros padres para que saquen aún más tierra del agua y podamos ampliar nuestro jardín», dijo viento de las nueve serpientes a viento de las nueve cavernas. Y así lo hicieron. Pero todos los rituales y ceremonias fueron inútiles, y ni todos los sacrificios de tabaco pudieron conmover a serpiente puma y serpiente jaguar, porque estaban llenos de sabiduría y conocían la medida correcta y el momento adecuado.

Respeta a los antepasados de tus antepasados, respeta a tu abuelo, respeta a tu abuela. Respeta a tu padre y a tu madre y a todos los seres y cosas con las que convives.

Pero viento de las nueve serpientes y viento de las nueve cavernas se impacientaron, y empezaron a contrariar la voluntad de sus padres. Para dar más fuerza a sus ruegos y sacrificios, empezaron a atravesarse la lengua y las orejas con afilados pedernales y a esparcir la sangre que salía de sus cuerpos: con abanicos hechos de ramas de árbol, la esparcieron por todos los árboles y plantas de su jardín e incluso llegaron al «lugar donde descansa el cielo».

Entonces serpiente puma y serpiente jaguar se sintieron oprimidos por la enormidad del sacrificio. Pensaron largo tiempo qué hacer, y desencadenaron una gran inundación que anegó incluso el jardín de sus hijos. Sólo una vez pasada la catástrofe separaron de nuevo el agua y la tierra y renovaron a los hombres.

Mis hermanos y hermanas cuentan esta historia para que nos recuerde que hay que respetar la sabiduría de los ancianos y la medida. Contamos esta historia a aquellos que no están satisfechos con lo que tienen.

Entre los muchos a los que respetamos hay que mencionar a cuatro hermanos a los que llamamos «los cuatro hermanos puntos cardinales». Cuando el Gran Espíritu, que no tiene nombre, ni cuerpo ni rostro, y del que por eso tampoco hay imágenes, encargó a estos cuatro hermanos sostener el cielo para que no se cayera, cada uno de ellos partió en una dirección distinta, de forma que no veía más que la espalda de sus hermanos. Y así se separaron largo trecho. Se dice incluso que en los extremos del mundo, donde llevaban a cabo su tarea, los cuatro hermanos sobrevivieron a la gran inundación, cuando todo lo demás encontró su fin en el agua infinita.

A cada uno de ellos le dimos su propio nombre. Y cada nombre indica la dirección del viento en la que llevan a cabo su misión. En concreto, son los puntos cardinales blanco y amarillo, negro y rojo. También se dice que son los espíritus de los vientos.

Cuentan los ancianos que en tiempos de nuestros antepasados llegó una reina a nuestro país. Su nombre era Cumizahual, que significa «mujer jaguar voladora». El nombre le era apropiado, porque nosotros los indios reverenciamos al jaguar por su valor, su fuerza y su belleza. Y todo eso se podía decir también de esa mujer. Cumizahual se instaló en una llanura fértil, el lugar en que nuestros antepasados pusieron figuras de piedra con cabezas de puma y cabezas de serpiente. Además, allí se encuentra hoy una gran piedra con tres puntas, de las que cada una tiene tres rostros. Los ancianos dicen que la reina la trajo por los aires con su gran magia y con el poder de la piedra construyó un gran imperio.

Deberíais saber que sólo quien posee la sabiduría debe hacer las leyes.

Cumizahual tuvo tres hijos, pero también se cuenta que jamás estuvo casada. Otros dicen que esos tres hombres eran sus hermanos, y que ella nunca tuvo que ver con un hombre. Cuando llegó a la vejez demostró su sabiduría, porque repartió sus tierras entre sus hijos, que también podrían ser sus hermanos. Pero antes les dio buenos consejos de cómo tenían que tratar a los hombres de su pueblo y proteger sus tierras, y de cómo el gobernante sabio gobierna en armonía con las leyes eternas. Luego hizo sacar la cama de sus aposentos. Pero cuando se estaba esperando el luto, sonó de pronto el trueno, y cayeron grandes rayos. Y cuando éstos pasaron, se vio salir volando un espléndido pájaro. Y como la reina se había vuelto invisible y había desaparecido, los antepasados quedaron convencidos de que se había transformado en un pájaro, había volado al cielo como tal y sólo había muerto como ser humano.

Cuentan los ancianos que en el cielo hay mujeres que no tienen piel ni carne. Se llaman Tzitzimitl, es decir, «las mujeres que nos traen malos presagios». Esperan en el cielo para devorarlo todo cuando haya llegado el fin del mundo. Tampoco los antepasados pudieron responder a la pregunta de cuándo llegará ese fin. Solamente sabían que vendría cuando estén contados los días de las energías que vosotros llamáis dioses y el sol ya no brille porque lo haya robado Tezcatlipoca.

A veces me reprochan la dureza de mis palabras para con los blancos. Pero no es más que el luto el que habla en mis palabras. Como también es el luto el que habla en el discurso de «oso erguido», un hermano de los lakota:

«No conozco ninguna especie de planta, pájaro o animal que fuera exterminada antes de que llegara el hombre blanco.» Algunos años después de la desaparición de los búfalos, aún había grandes manadas de antílopes. Apenas los cazadores hubieron terminado su obra y exterminado a los búfalos, se volvieron hacia los antílopes.

Para los blancos, tanto los animales como los hombres nativos eran tan sólo «parásitos» a los que había que «eliminar». También las plantas que eran de utilidad a los indios fueron declaradas «parásitos». En nuestra lengua no hay ninguna expresión que responda al significado de esa palabra.

En lo que concierne a la relación con la Naturaleza, había una gran diferencia entre la actitud de los indios y la de los blancos: los unos se convirtieron en protectores y defensores de la Naturaleza, los otros en sus destructores. Los indios y todas las criaturas que nacieron y vivían aquí tenían una madre común: la tierra. Por eso estaba emparentada con todo lo que vive, y concedía a todas las criaturas los mismos derechos que a sí misma.

La actitud de los blancos es distinta: el blanco despreciaba la tierra y lo que producía. Como se consideraba una criatura superior, todas las demás criaturas ocupaban una posición más baja en su jerarquía. Y conforme a ello actuaba. Se atrevió a decidir sobre el valor o no de la vida, y se aplicó sin miramientos a su tarea de destrucción. Los bosques fueron talados, el búfalo exterminado, el castor asesinado y rotos sus admirables diques, incluso los pájaros del aire enmudecieron. Gigantescas praderas cubiertas de hierba que llenaban el aire de dulce olor fueron devastadas. Manantiales, arroyos y lagos que aún conocí en mi infancia están secos y han desaparecido. Todo un pueblo fue humillado y entregado a la Muerte.

De este modo, el hombre blanco se ha convertido en símbolo de la aniquilación para todos los seres de este continente. Entre él y el animal no hay entendimiento, y los animales han aprendido a huir cuando se acerca. Porque donde él vive, no hay sitio para ellos.

Para nosotros los indios tiene gran importancia que los espíritus nos envíen una visión. Si sentimos que quieren hablar con nosotros, nos retiramos a los bosques o las montañas, ayunamos, meditamos y esperamos allí hasta que nos visitan. No hablamos de nuestras visiones, no las contamos en el pueblo, porque eso no le gustaría a los espíritus. Algunos de nosotros, que tienen gran fuerza chamánica, obtienen el permiso para contar sus visiones. Hehaca Sapa fue uno de ellos. Dice:

«Yo estaba en la más alta de las montañas, y a mi alrededor yacía en lo profundo la tierra entera. Y mientras estaba allí vi más de lo que sé contar, y entendí más de lo que vi. Porque vi en sagrado recogimiento la figura de todos los seres, y vi la forma de todas las formas en el espíritu y cómo todos los seres se volvían uno. Y vi que el anillo sagrado de mi pueblo era uno de muchos anillos que formaban juntos un círculo amplio como la luz del día y la de las estrellas, y en medio de ese círculo crecía un árbol fuerte y floreciente que ofrecía protección a todos los hijos de una madre y un padre.

»Los que lo hicieron como es han puesto en el mundo muchas criaturas, y todas deben ser felices. Cada ser, cada pequeño algo cumple un fin determinado. También él debe ser feliz y poseer la fuerza para hacer feliz. Igual que las hierbas de una pradera se inclinan amables unas sobre otras, así debemos hacer también nosotros, porque los que lo han hecho lo querían así.»

Vine al mundo con la piel del color del bronce, y me siento bien con ella. Algunos de mis hermanos nacieron con la piel blanca, o negra, o amarilla. No les preguntaron, y está bien así. Hay rosas amarillas, rosas blancas y rosas rojas, y todas son hermosas. Espero que mis hijos vivan en un mundo en el que los hombres de todos los colores vivan y trabajen juntos, sin que la mayoría intente conformar a los otros a su voluntad.

* *Tatanga Mani*

LA ARAÑA QUE TRAE EL FUEGO

De cómo la serpiente, el puma y el oso se rieron de «la araña que trae el fuego»

Los ancianos cuentan: Ocurrió en tiempos de los antepasados de nuestros antepasados. Entonces hacía frío en la isla de las tortugas, porque no existía el fuego. Los símbolos de las distintas energías vieron la necesidad de los hombres de la Tierra, y les enviaron una parte de su energía para que consiguieran el fuego.

Los ancianos siguen contando: cayó un rayo e incendió un viejo bosque en mitad de un pantano. Pero como estaba en mitad del pantano, los hombres de la Tierra no pudieron ir hasta el árbol a coger el fuego.

«Hermano azor, ¿y tú? —preguntó al pájaro uno de los hombres de la Tierra—. ¿Podrías tú volar y traernos un poco de la brasa?»

El azor extendió las alas y voló hasta la cima del árbol en llamas. Allí vio las ramas al rojo, se le enrojecieron a él los ojos y tuvo que volver con los otros sin llevar la brasa. «Dejadme a mí», dijo el cuervo. Extendió sus alas y voló hacia el árbol en llamas. Pero también a él la cosa le había parecido más sen-

cilla de lo que era. Cuanto más se acercaba, tanto más abrasaba el calor sus plumas, hasta que estuvieron completamente negras. Así que tuvo que volver sin llevar a los hombres de la Tierra ni una chispa de brasa.

También el búho intentó lo que sus hermanos no habían logrado. Pero tampoco él pudo ayudar. El humo abrasador que le obligó a volver le dejó en los ojos unos anillos blancos que aún pueden verse hoy.

«Ésta es tarea para mí, hermanos plumíferos —dijo la serpiente—. Yo nadaré hasta allí.» Pero apenas había llegado e intentaba trepar por el tronco del árbol en llamas, sintió el gran calor y empezó a enroscarse y encogerse como aún hoy hacen las serpientes. Regresó sin traer ni un trocito de brasa.

También el oso y el puma se adelantaron con grandes promesas, pero el éxito de sus actos fue pequeño.

«Dejadme a mí», dijo entonces la araña, lo que hizo reír a todos, porque ninguno de los grandes animales podía imaginarse cómo pensaba la pequeña araña resolver el problema. Entonces la araña tendió su cuerpo en dirección al viento y le dio un largo hilo que se meció hasta llegar al árbol en llamas. En él se enganchó una pavesa, que la araña atrajo enseguida hacia sí y hacia los otros hermanos y hermanas comiéndose su propio hilo.

«Nos hemos reído de ti —dijo el oso, el más sabio de los animales—, ahora sabemos que los pequeños y débiles pueden prestar la mayor ayuda. En adelante te llamaremos “la araña que trae el fuego”, y nadie se reirá de tu nombre antes de haber oído esta historia.»

Ésa es la razón por la que se cuenta aquí.

Los ancianos nos han contado que cuando oscurece, y los hombres de la Tierra se cansan y duermen, las energías del espíritu liberan sus múltiples seres y monstruos. Algunos se transforman en sueños. E igual que hay buenas y malas energías del espíritu, hay buenos y malos sueños. Los malos sueños traen enfermedades, o son un signo de la magia negra.

Los ancianos nos han contado qué hay que hacer para que no nos alcancen los malos sueños:

«Había una antepasada que era muy desdichada, pues tenía un hijo que todas las noches lloraba como el coyote, porque los malos sueños le contaban historias horribles mientras dormía. Y como nuestra antepasada ya no sabía qué hacer, pidió consejo a la hilandera. La hilandera era mucho más vieja que ella, y era una mujer de gran sabiduría. Con madera de los árboles que crecen junto al agua hizo un anillo, no más grande que la cabeza del niño. Luego se transformó en una araña y tejió su tela en el anillo. Cuando acabó, prendió en la red objetos de gran poder mágico: el cascabel de la serpiente de cascabel, las raíces de una planta mágica, una piedra de colores, el pelo del oso y el del búfalo. Y muchos otros objetos más, todos de gran fuerza mágica. “Coge esto y cuélgalo encima de la cuna. De este modo, ningún mal sueño tendrá poder sobre tu hijo. Hará que ninguna mala energía entre en vuestro tipi, atrapará todas esas fuerzas y las reunirá, y por la mañana se desvanecerán igual que la noche. Enseña la red a tus hermanos y hermanas, y tejed vuestras propias redes para que los malos sueños pierdan también su poder sobre tus hermanos y hermanas." Y nuestra antepasada volvió a su pueblo e hizo lo que le habían aconsejado.»

Y tal como nuestra antepasada aprendió de la hilandera, así seguimos haciéndolo hoy: hacemos un anillo con la rama del árbol que crece junto al agua y cosemos objetos de poder mágico en un trenzado de finas tripas. Ponemos perlas, ponemos el pelo del puma, el diente del oso, conchas y piedras. Colgamos el cazador de sueños encima de donde dormimos y llevamos uno pequeño en la cabeza. Nosotros los aztecas tejemos también muchas plumas en ese trenzado, porque las plumas tienen un poder mágico especialmente grande. En nuestra lengua, llamamos al cazador de sueños Titlahtin, que significa «lo que me tranquiliza».

Mi casa está hecha con las plumas del quetzal.
Es roja y amarilla.
Mi casa está hecha también de conchas.
Es roja, blanca y amarilla.
Es mi casa, que ahora he de abandonar.
Ninguna canción puede cantar mi pena.

* *Canción azteca*

Nos es sagrado el fuego
y la noche.
Nos es sagrado el Padre Sol
y la Madre Tierra.
Nos es sagrada la abuela Luna
y el agua, el viento y las nubes.
Nos es sagrado el vuelo del águila blanca
y también la serpiente de cascabel.
Nos es sagrado el coyote
e incluso el pequeño saltamontes.

* *Canción azteca*

Hemos visto que entre los blancos hay unos que tienen mucho, pero otros que son muy pobres. Hemos visto además que los que tienen mucho hacen poco por sus hermanos menos favorecidos. No lo entendemos.

Pensad, grandes señores,
águilas y jaguares:
Aunque seáis de jade,
aunque seáis de oro,
también vosotros iréis
a parar al lugar de los escuálidos.

* *Nezahualcóyotl*

Cuando vuestros antepasados llegaron hasta nosotros, vieron un metal amarillo que había en abundancia entre los aztecas. Lo que para nosotros significa «sudor del sol» ellos lo llamaron oro. Sus ojos se abrieron codiciosos, saltaron y cantaron de alegría. Pobres, no sabían que el oro no se come.

El coyote enamorado

De cómo el coyote se enamoró de la mujer estrella y por qué la hermana liebre es capaz de correr como el rayo

En los días anteriores a los antepasados, el hermano coyote era el espíritu de un coyote. Como suele ocurrir a esos hermanos, dormía cuando el Padre Sol estaba en el cielo, pero apenas mostraba su rostro la Abuela Luna el hermano coyote despertaba y daba su paseo. Entonces, los otros hermanos y hermanas vieron cómo cantaba al cielo tristes canciones con el cuello extendido.

«¿Qué te ocurre que aúllas así, hermano coyote?», preguntó la tortuga, a la que el lastimero canto había despertado.

«Mi corazón se inclina por una hermana, arde de abnegación», respondió el coyote.

«Ésa no es razón para pasar las horas de luz de la luna aullando y ladrando, y para robar el sueño a tus hermanos —dijo la tortuga malhumorada—. Hermano coyote, ve a esa hermana y haz con ella lo que se hace cuando hay amor.» Pero ese discurso tan sólo condujo a que el hermano coyote emprendiera un aullar y llorar aún mayor, de modo que también la hermana liebre despertó y fue a ver qué ocurría

delante de su guarida. Salió a tiempo de que el hermano coyote le contara con gran pena cómo había llegado a ser tan desdichado.

Y había sido así: el hermano coyote estaba, como siempre en las horas de luz lunar, sentado en la pradera, observando las estrellas. Había una estrella mujer, más hermosa que todas las demás. El coyote se enamoró de su brillo y resplandor, y se pasaba las horas de la noche sentado allí pidiéndole que dejara su peregrinar por el cielo para bajar hacia él y prestara oídos a su amor. Pero nada ocurrió. Así que se llenó de pena y nostalgia, y a cada hora de luz de luna su pena se hacía más profunda y su nostalgia más hiriente.

«Pensaba que vosotros, hermanos coyotes, nos superabais a todos en astucia y conocimiento de la vida —dijo la liebre tras escuchar la historia hasta el final—. Hace mucho que yo habría encontrado una solución.»

«Oh, inconsciente, ¿habrías cogido prestadas las alas del cuervo para llegar hasta ella? Ella está demasiado lejos incluso para el vuelo del águila», respondió el hermano coyote lleno de ironía, y aún más de pena, de manera que su discurso no fue más que llanto y aullido.

«Si das claramente tu consentimiento a que en adelante el Gran Espíritu nos regale a las liebres el don de correr en zigzag como el rayo, te contaré cómo puedes acercarte a tu amada hermana estrella.»

El hermano coyote no tuvo que pensárselo dos veces, consintió. La tortuga fue destinada a ser testigo del contrato, de forma que también el hermano viento y el hermano oso, el hermano árbol y la hermana águila se enteraron de la novedad.

«Ahora di, y di inmediatamente y con gran prisa, cómo puedo acercarme a mi amada hermana estrella», apremió el hermano coyote.

Mirar la luna y el sol, escuchar el susurro del viento, oír el grito del águila: Las mejores cosas, y las más hermosas, no cuestan nada.

«Tu atención no ha sido aguda, solamente has dejado que tu corazón hablara al cielo lleno de nostalgia. Pero aparta tu aguda mirada del lugar en que los espíritus vuelan en lo alto, y llévala hacia la lejanía, donde velan las hermanas montañas. Allí, tras la cumbre de la más alta, va cada mañana tu amada hermana estrella a descansar de su camino por el cielo. Yo misma he observado cómo toca por breve tiempo los hombros de la gran hermana montaña antes de tenderse, detrás, en su lecho. Así que apresúrate a correr allá arriba, a ese punto en los hombros de la montaña, y pronto tocarás a tu amada hermana.»

El hermano coyote corrió todo lo que pudo. Fue un largo camino, pero después de haber visto la luna muchas veces llegó a los hombros de la montaña, justo al lugar por el que la hermana estrella pasaba al final de cada noche y tocaba la gran hermana roca. Allí quedó rendido y agotado, y no quería dormir, porque le preocupaba que su amada hermana estrella se le escapara en su camino nocturno.

Así esperó hasta que ella se mostró en el cielo. Y como la creía tan cerca, le pareció aún más hermosa que antes, y su amor y nostalgia se hicieron mayores y más fuertes que nunca.

Le pareció incluso como si también a ella le hubieran atacado el amor y la nostalgia, porque su vestido de chispeantes rayos relampagueó, y junto con las otras estrellas bailó por el cielo y se le acercó cada vez más. Pero cuando el hermano coyote creyó muy cerca a la hermana estrella y saltó con un grito a su encuentro, tuvo que admitir que seguía bailando muy alto en el cielo.

No obstante, tal como hacen los coyotes, no se rindió, sino que esperó noche tras noche a la amada estrella. Pero como toda la espera era en vano, volvió a su sitio, donde le recibieron la hermana tortuga y la hermana liebre. «Eh, hermano coyote, has cubierto un camino largo y difícil, se te nota», dijo la tortuga.

«¿Has tenido muchos encuentros de amor y ternura con la mujer estrella? He visto cómo chispeaba llena de fuego», dijo descarada la hermana liebre. La burla fue excesiva para el entristecido corazón del hermano coyote, que saltó sobre la hermana liebre para morderle en la nuca, pues la burla le había dolido más que todo lo demás. Pero la hermana liebre no había perdido el tiempo y entretanto había dominado el arte de correr en zigzag como el rayo, así que se escapó. Desde ese acontecimiento de hace tanto tiempo se puede observar una y otra vez cómo la hermana liebre y el hermano coyote corren por la pradera igual que rayos a la luz de la luna, porque lo han aprendido de sus antepasados y de los antepasados de sus antepasados.

Reverenciamos al águila,
reverenciamos a la serpiente.
Nuestro espíritu vuela alto como su vuelo,
pero nuestro corazón se queda en tierra
como el pecho de la serpiente.

A menudo se nos pregunta qué es un lugar mágico. Pero nosotros no podemos responder a esa pregunta. Y tampoco podemos decir en qué se reconoce un lugar mágico. No se puede expresar con palabras, porque se trata de conocimiento de los supramundos. No hay ningún instrumento que pueda medir estas energías. Pero hay hombres con gran sabiduría entre nosotros. Tienen la capacidad y el conocimiento para sentir estas fuertes energías y reconocer estos lugares. Hablan con los espíritus y averiguan sin verlo dónde hay agua bajo la piel de la Madre Tierra.

Tienes curiosidad, y quieres oír cosas de los chamanes. Mírate a ti mismo, porque la magia también está en ti.

Antes de construir nuestras chozas, hacemos un regalo —la mayoría de las veces, tabaco o salvia— a uno de estos hombres o mujeres y, con sus conocimientos, ellos buscan el sitio adecuado. Al hacerlo, tienen en cuenta la posición respecto al Padre Sol, respecto a la Abuela Luna y respecto a la estrella que anuncia la oscuridad.

Son los lugares donde nuestros hermanos árboles y hierbas se sienten muy bien y crecen con alegría. Son también los lugares donde se duerme bien. Pero también son los lugares donde nos retiramos a meditar, los lugares donde levantamos nuestros temazcalli y donde el humo de la pipa asciende al cielo en una columna recta. Son los lugares de los que ya nos han hablado los antepasados. Son los lugares que buscamos cuando hablamos con ellos.

Un grillito amarillo
en las raíces
de la calabaza.
Canta y salta.

Un grillito amarillo
en las raíces
de la calabaza.
Canta y salta.

Gracias hermano grillo,
gracias por tu canción.

Los antepasados dicen: El círculo es sagrado para nosotros. Así que cuando bailéis, bailad en círculo. Porque todo se mueve en círculo, todo es un círculo. Nuestra Madre Tierra y nuestro Padre Sol. Bailad pues en círculo, porque así los honráis. Bailad en torno al tambor que está en el centro, igual que el sol está en el centro. Quemad resina de copal, porque purifica el lugar.

Pero, ¿qué digo de bailes y bailarines? En nuestro idioma no tenemos ninguna palabra para eso. Entre nosotros se dice Chiton Quiza, lo que significa «movimientos para honrar a la Madre Tierra». Y entre nosotros el bailarín se llama Chiton ti quiani, es «aquel que hace movimientos para honrar a la Madre Tierra».

Los antepasados dicen: El círculo es sagrado para nosotros. Cuando celebréis asambleas, reuníos en círculo. Porque todo se mueve en círculo. En la choza para sudar nos sentamos en círculo, y en nuestros encuentros nos sentamos en círculo. Por eso no nos gustan los colegios de los blancos. Ni tampoco sus parlamentos. Allí se sientan uno detrás del otro. No pueden mirar al rostro a su hermano y a su hermana. Sólo ven sus cabezas por detrás, y no ven si uno está triste y decepcionado, o si otro está contento y ríe.

Es hora de hablar de «serpiente cuatro». Para vosotros los blancos, «serpiente cuatro» es una serpiente de cascabel normal, para nosotros en cambio posee elevada sabiduría y elevados conocimientos. Por eso la llamamos Nahuicatl, que significa «serpiente especialmente sagrada». En el lomo lleva dieciocho cuadrados con los que simboliza dieciocho veces la condición cuadrangular del cosmos. Porque el cuatro es la cifra mística y mágica en nuestra cultura.

Vosotros, hermanos blancos, habéis aprendido a dominar la Naturaleza mucho antes de haber aprendido a dominaros a vosotros mismos.

Hay cuatro hermanos puntos cardinales, que simbolizamos con cuatro colores: rojo es el este, donde sale el sol. Negro es el oeste, donde se hace de noche. Blanco es el norte, donde viven los hombres blancos. Amarillo es el sur, donde el sol tiene ese color. Llamamos a esas direcciones Nahuizitlalomeyocan, las «cuatro esquinas del universo».

Hay cuatro elementos: el agua, el fuego, la tierra, el viento. Los hermanos búfalo, ciervo, jaguar y oso van a cuatro patas. Nosotros los hombres de la Tierra tenemos dos piernas y dos brazos, que también hacen cuatro.

Pero con el dibujo de su lomo Nahuicatl aún simboliza mucho más, porque los cuadrados de su piel están hechos de trece veces cuatro escamas. Y eso hace cincuenta y dos. Eso son tantas escamas como nuestros astrónomos han calculado como medio ciclo de nuestro calendario.

Así que Nahuicatl es el símbolo de lo cuadrado. Pero cuando se enrosca para descansar su cuerpo forma un círculo, nuestro símbolo más sagrado.

Como Nahuicatl nos cuenta todo esto con sus escamas, la reverenciamos. Pintamos con su imagen nuestros utensilios mágicos, y nuestros canteros la cincelan en relieve en nuestras casas.

Cuando llegaron los blancos, pensaron que adorábamos al diablo, porque en su religión la serpiente simboliza el mal.

Sin la mujer no podría existir el hombre. Y sin el hombre la mujer jamás habría empezado a existir. Hombre y mujer son los medios círculos que sólo juntos forman el todo, el círculo. Nosotros los indios no entendemos una religión que dice que la mujer fue creada a partir del hombre. Porque, ¿de quién fue creado el hombre, sino de la mujer?

No habléis de pirámides al referiros a los lugares donde nuestros antepasados celebraron sus ceremonias, donde nuestros médicos practicaron su arte curativo y nuestros astrónomos observaron las estrellas. No habléis de pirámides.

Cuando preguntáis: «¿Qué palabra hemos de emplear entonces?», os digo: «Llamadlas como las llamamos nosotros, llamadlas Teocalli.» Eso quiere decir en nuestro idioma «construcción donde reina mucha energía» o también «casa en la que se acumula mucha energía».

Trazan cicatrices, profundas, incurables,
en el rostro de la Madre Tierra,
al construir autopistas y carreteras.
Cortan el cabello a la Madre Tierra,
porque queman los arbustos
y abaten los bosques.
Sus pájaros de hierro
cortan el cielo,
y llueve cuando no debe llover.
Hurgan en el vientre de mi madre, buscando metal,
y han hecho calientes los inviernos.
Ha venido una gran confusión,
pero ninguno de ellos escucha cómo ruge.

CUANDO LAS SERPIENTES COBRARON FUERZA

De cómo las ratas se comían
a las hermanas verdes y las víboras
fueron nombradas guardianas

Los antepasados cuentan que hubo una época en que los pequeños animales del campo perdieron el sentido de la medida. Las hermanas ratas y los hermanos conejos e incluso el pequeño hermano ratón sentían continuamente grandes deseos de comer, de forma que robaban sin cesar las semillas al hermano maíz, roían las hojas de la hermana remolacha y mordían las raíces de la hermana hierba.

Las energías que en tiempos de los antepasados de nuestros antepasados hicieron que las cosas sean como son se dieron cuenta, y decidieron celebrar un consejo. Así que se reunieron y se dispusieron en círculo.

También los espíritus de los ratones, ratas y conejos estaban invitados, también ellos debían hablar, y su discurso debía explicar la conducta de sus hermanos y hermanas. Su discurso fue breve, prometieron que las cosas mejorarían y desaparecieron.

Pero se demostró que los pequeños animales del campo sólo por breve tiempo cumplieron lo acordado. Pronto parecieron olvidarlo, y los ratones, ratas y conejos se volvieron más desmedidos que antes. Con gran dolor y gran miedo, el hermano árbol, la hermana remolacha y el hermano maíz se dirigieron a las energías que en tiempo de los antepasados de nuestros antepasados hicieron que las cosas sean como son.

Decidieron celebrar un consejo. Así que se reunieron y se dispusieron en círculo. Y cuando estuvieron en círculo pronunciaron las palabras de su sabiduría, y su sabiduría era muy grande:

«No queremos decidir matar a las ratas, los ratones y los conejos, después de haber decidido un día que fueran hermanos y hermanas de todos los demás hermanos y hermanas. Pero tenemos que proteger a los hermanos y hermanas que no tienen patas para escapar corriendo, que no tienen aletas para escapar nadando y que no tienen alas para escapar volando.»

Así que el consejo de sabios llamó a las serpientes. Acudieron grandes y pequeñas, grises y negras, y serpientes de colorida vestimenta. A las grandes se les dio la fuerza para estrangular, las pequeñas obtuvieron la fuerza de la mordedura mortal.

«Sed mesuradas en su uso, y desde ahora sed las guardianas de las hermanas verdes. Del maíz, las lianas, las remolachas y las hierbas, las hermanas verdes que crecen alto y las hermanas verdes que crecen bajo. Vivid en las ramas de los árboles, agazapaos bajo las hojas.»

Y así lo hicieron las culebras y víboras, las que tenían la fuerza para estrangular y las que tenían la fuerza del veneno. Y las cosas volvieron a ser como deben ser, y hay que honrarlas, porque su tarea es honorable.

Rápidas moscas de blanco fuego,
animales pequeños, ¡pequeño fuego errante!
Agitad estrellitas sobre mi cama,
¡tejed estrellitas en mi sueño!
Ven, escarabajo danzante de fuego blanco,
ven, pequeño ágil, nocturno y brillante.
Regálame la mágica luz de
tu llama blanca y clara,
de tu pequeña antorcha de estrellas.

Los blancos dicen «mío» cuando nosotros decimos «nuestro». Se miran a sí mismos cuando nosotros miramos a nuestros hermanos. Nuestras puertas y corazones siempre estuvieron abiertos, porque amamos y respetamos a todos los hermanos y todas las hermanas. Nuestra historia está llena de ejemplos que cuentan cómo os hemos acogido como huéspedes en nuestro país.

Tres dedos te apuntan a ti cuando señalas a tu hermano.

Por esas puertas entraron Cristóbal Colón y Hernán Cortés, y después los Padres Peregrinos. Os hemos saludado con regalos y os hemos enseñado dónde se podía cazar el ciervo y dónde se podía pescar el pez. Hemos dado de comer a los marineros hambrientos, y nuestros hombres de medicina han curado a vuestros enfermos. Hemos ayudado a que esos hombres no tuvieran que morir de hambre, frío y agotamiento. Os dimos la medicina del árbol de la vida que crece en nuestros bosques, y el maíz y la patata.

Pero no queríais ser nuestros hermanos, habéis venido como conquistadores. Habéis escupido en la mano que os dimos.

VIEJA MUJER ARAÑA Y HOMBRE SERPIENTE

De cómo el hijo del jefe fue iniciado en el culto de la serpiente con ayuda de la mujer araña

Los antepasados cuentan: ocurrió que el hijo de un jefe estaba sumido en profundos pensamientos acerca del camino que seguía el agua que pasaba por delante de su pueblo. De dónde venía y adónde iba. Se sentaba a la orilla, y sus ojos y sus pensamientos seguían el río, que pasaba infinito burbujeando ante él y desaparecía misterioso entre las rocas de la montaña.

Tampoco su padre, el jefe, sabía darle respuesta, ni tampoco su madre, los sabios del pueblo y los hombres de medicina. El hombre de medicina tan sólo sabía que en algún sitio el agua tenía que mezclarse con el agua de otros ríos para formar un nuevo río, y éste a su vez con otro, y así hasta que llegaran al lugar donde ya sólo hay agua. Cuando el hijo del jefe oyó esto se construyó una canoa, pues quería visitar ese lugar donde ya sólo hay agua. Un día se puso en camino, al salir el sol, y desapareció entre las rocas con las saltarinas ondas del río. Tras largo viaje, llegó al fin allá donde sólo hay agua. Allí vivía en una isla una mujer araña, a la que sorprendió ver al huésped